CARLES ESQUEMBRE

LORCA

UN POETA EN NUEVA YORK

eVolution
COMICS

LORCA
UN POETA EN NUEVA YORK

eVolution
COMICS

Un libro de Panini España, S.A.

© 2016 Carles Esquembre

Para la edición española: © 2019 Panini España, S.A.
Todos los derechos reservados.
Queda expresamente prohibida la reproducción total o parcial
de los textos e ilustraciones incluidos en este número.
Una publicación de Panini España, S.A. Redacción y administración:
C/ Vallespí, 20. 17257-Torroella de Montgrí (Girona). Telf.: 972 757 711.
www.paninicomics.es.
Distribución: SD Distribuciones. C/ Montsià 9-11 P. I. Can Bernades
08130 Sta. Perpètua de la Mogoda • Telf.: 933 001 022.
Impreso en España por: LIBERDÚPLEX. Carretera BV-2249 Km 7,4.
08791 - Sant Llorenç d'Hortons (Barcelona).

Depósito legal: DL GI 1908-2019
ISBN 13: 978-84-1334-388-4
Nueva edición, diciembre de 2019.

Director de publicaciones:
JOSÉ LUIS CÓRDOBA.

Director editorial de cómics:
ALEJANDRO MARTÍNEZ
VITURTIA.

Director de producción:
JORDI GUINART.

1. El sueño de Lorca

TODAVÍA SUENAS.

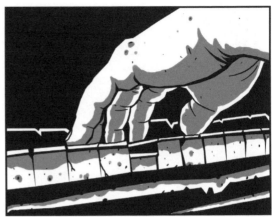

Y MIS PEQUEÑAS MANOS.

DORMIDAS.

DEMASIADO TIEMPO DORMIDAS.

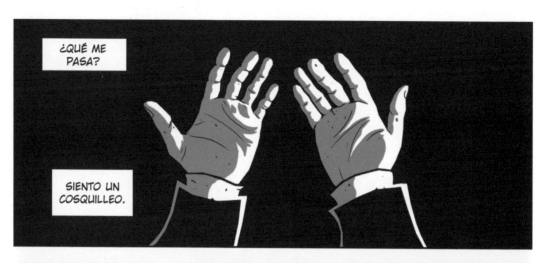

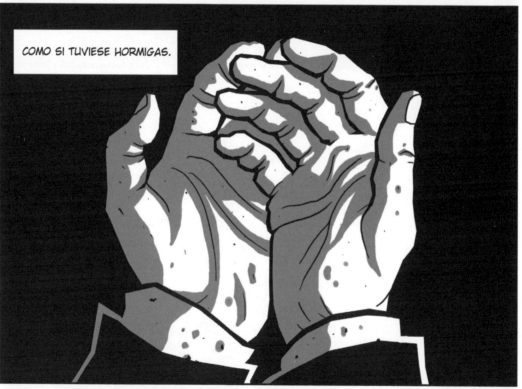

MIS MANOS NO ESTÁN DORMIDAS.

SOY YO.

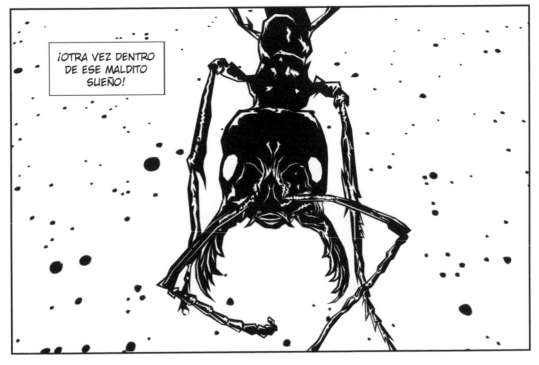

¡OTRA VEZ DENTRO DE ESE MALDITO SUEÑO!

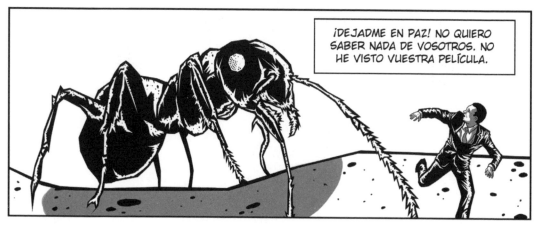

¡DEJADME EN PAZ! NO QUIERO SABER NADA DE VOSOTROS. NO HE VISTO VUESTRA PELÍCULA.

ME HABÉIS DEJADO SOLO.

ABANDONADO.

FRENTE AL ABISMO.

SIN SALIDA.

QUIERO
DESPERTAR.

DESPIERTA, FEDERICO.

ESA VOZ... CONOZCO ESA VOZ.

EMILIO, ¿ERES TÚ? ¿QUÉ OCURRE? ¿POR QUÉ ESTOY CONVERTIDO EN PIEDRA?

SHH, CALLA. DÉJAME TERMINARTE. SABES QUE SIEMPRE HE QUERIDO HACER TU CABEZA.

ME ALEGRO QUE ESTÉS AQUÍ, EMILIO. AYÚDAME, POR FAVOR. TIENES QUE AYUDARME A SALIR DE ESTA ROCA INERTE.

TENGO QUE HABLAR CONTIGO.

TODO EL MUNDO PIENSA QUE SOY UN ESCULTOR MEDIOCRE.

Y QUE ESTOY CONTIGO POR TU FAMA...

ESO NO ES CIERTO. TIENES UN GRAN TALENTO. NO HAGAS CASO A ESOS PUTREFACTOS.

2. El poeta llega a Nueva York

¿OTRA DE TUS PESADILLAS?

DESPÉJATE UN POCO. TE ESPERO EN LA CUBIERTA.

ME HE QUEDADO DORMIDO. DISCULPE DON FERNANDO, ENSEGUIDA ESTOY CON USTED Y LOS VIVOS.

ME MIRO AL ESPEJO DEL ESTRECHO CAMAROTE Y NO ME RECONOZCO. PAREZCO OTRO FEDERICO...

POR FIN HA DESAPARECIDO LA NIEBLA. YA DEBERÍAMOS HABER LLEGADO. ¿HA CALMADO LOS NERVIOS, MI JOVEN POETA?

OLYMPIC

SÍ, DON FERNANDO. NO SÉ CÓMO AGRADECERLE LO BIEN QUE SE ESTÁ PORTANDO CONMIGO. ¡TODO EL MUNDO LE HA TOMADO POR MI PADRE!

YA VERÁS, AMIGO MÍO. ESTE VIAJE TE VENDRÁ MUY BIEN. ES ASOMBROSA LA FALTA DE PERSPECTIVA QUE TENEMOS EN ESPAÑA SOBRE NUESTRA CULTURA. ES PRECISO VENIR A AMÉRICA PARA DARSE CUENTA DE LO QUE SIGNIFICAMOS EN EL RESTO DEL MUNDO.

LO SÉ. ADEMÁS, NECESITABA PONER UN OCÉANO DE POR MEDIO. MIS ÚLTIMOS ESCRITOS SON HORRIBLES, DIGNOS DE ISIDORO CAPDEPÓN. TENGO NUEVAS INQUIETUDES, DON FERNANDO.

ME ALEGRO, PERO RECUERDA QUE AQUÍ NO ESTARÁN TUS PADRES PARA AYUDARTE. ONÍS NO QUIERE QUE VAYAS A LA RESIDENCIA INTERNACIONAL. HAY DEMASIADOS HISPANOHABLANTES.

SABE QUE SOY UN TONTITO EN LA VIDA PRÁCTICA. PROMETO SER DISCIPLINADO CON EL CURSO DE INGLÉS.

¿DISCIPLINADO? VENGA, DEMOS EL ÚLTIMO PASEO HASTA LA POPA POR LA CUBIERTA DE SEGUNDA CLASE, COMO CORRESPONDE A UN POBRE CESANTE.

EN PUERTO RICO INSISTEN EN QUE ME QUEDE ALLÍ HASTA QUE SE CALMEN LAS COSAS EN ESPAÑA.

MIRA, YA SE VISLUMBRAN LOS RASCACIELOS.

PERO DON FERNANDO, ¿Y SU CÁTEDRA EN LA UNIVERSIDAD DE GRANADA?

LA HE RECHAZADO, EN SEÑAL DE PROTESTA POR LA DICTADURA DE PRIMO DE RIVERA.

LA ESTATUA DE LA LIBERTAD.

YA LA VEO. SIEMPRE HE PENSADO QUE NUEVA YORK DEBE SER UNA CIUDAD HORRIBLE, Y EN PARTE POR ESO QUERÍA VENIR.

PRONTO SERÁS TESTIGO DEL CONTRASTE ENTRE EL MUNDO UNIVERSITARIO ESPAÑOL Y SUS CONTÍNUOS ENFRENTAMIENTOS CON PRIMO DE RIVERA, Y LA UNIVERSIDAD NORTEAMERICANA.

MI MUJER Y MI HIJA LAURA ESTÁN EN OXFORD. LA CIVILIZACIÓN INGLESA ES SÍMBOLO DE SERENIDAD, EXQUISITEZ, ORIGINALIDAD, HETEROGENEIDAD Y AUDACIA REFORMISTA CONJUGADA CON MODERACIÓN.

TODO ESE DISCURSO ME SUENA CHORPATÉLICO.

¿CHORPAQUÉ?

NADA, DON FERNANDO, PALABREJAS QUE SE ME OCURREN.

AQUÍ LOS JÓVENES SE COSTEAN SU ESTANCIA PRESTANDO SERVICIOS DE TODO TIPO. LAS FAMILIAS MODESTAS Y LAS MÁS DISTINGUIDAS DE NUEVA YORK CONVIVEN CON ABSOLUTA FRATERNIDAD.

ALGO IMPENSABLE EN ESPAÑA.

LOS MUCHACHOS EMPIEZAN DESDE ABAJO.

Y EL TRABAJO JAMÁS ES MOTIVO DE SONROJO. SEA EL QUE SEA.

ES UNA CARACTERÍSTICA DE LOS PUEBLOS JÓVENES.

MUCHAS GRACIAS POR TODO DON FERNANDO, DE VERDAD.

DEJA YA DE AGRADECÉRMELO. RELÁJATE Y NO TE PREOCUPES, TODO ESTÁ DISPUESTO. EL "COMITÉ" DE BIENVENIDA NOS ESPERA EN EL PUERTO.

¿EL COMITÉ?

ASÍ ES.

LES PEDÍ A ONÍS Y A ÁNGEL QUE ACUDIERAN A RECIBIRNOS.

JUNTO CON PERIODISTAS Y ALGUNA SORPRESA.

NO ESPERABA QUE MI LLEGADA FUESE UN ACONTECIMIENTO SOCIAL.

TU ESTANCIA EN NUEVA YORK AUGURA UNA INMINENTE FAMA INTERNACIONAL, CRÉEME.

CREO DISTINGUIRLOS ALLÍ A TODOS. ÁNGEL, ONÍS Y... ¡PERO BUENO! ¿MAROTO TAMBIÉN?

* (PRIMERA VIÑETA, DE IZQUIERDA A DERECHA, FEDERICO DE ONÍS, ÁNGEL DEL RÍO Y GABRIEL GARCÍA MAROTO)

26 de junio de 1929.

EL VIAJE HA SIDO UNA AVENTURA. HEMOS VENIDO A LO GRANDE, CONQUISTANDO EL MAR, SIN MOSTRAR CLEMENCIA.

BIEN, YA TENEMOS NUESTRO EQUIPAJE. TENGO ASUNTOS QUE ATENDER, MARCHO A PUERTO RICO MAÑANA, ASÍ QUE ME TEMO QUE NO TENGO MUCHO TIEMPO PARA ESTAR CON VOSOTROS.

ÁNGEL, ¿TE ENCARGASTE DE LAS HABITACIONES DEL HOTEL MARSELLA?

SÍ, DON FERNANDO, ME HE OCUPADO DE TODO.

MI QUERIDO HIJO ESPIRITUAL, BIENVENIDO A NUEVA YORK.

DEJAMOS LAS MALETAS EN EL HOTEL Y LUEGO VAMOS A VER EL FAMOSO ESPECTÁCULO DE LUCES DE TIMES SQUARE.

VOSOTROS DELANTE, ONÍS Y YO COGEREMOS EL SIGUIENTE TAXI.

ÁNGEL, MAROTO, ¡MOSTRADME BROADWAY!

USTED PRIMERO, DON FERNANDO.

¡ALLÁ VAMOS, BABEL NEÓNICA!

NO VEO A ESE LORCA TRISTE Y MELANCÓLICO DEL QUE ME ADVERTÍA.

QUE NO TE ENGAÑE SU EUFORIA INICIAL. ANDA, SUBE AL TAXI.

NUESTRO LORCA PASA POR UN PERIODO DE ANGUSTIA VITAL. APRENDER INGLÉS ES TANTO EL PROPÓSITO COMO LA EXCUSA PARA ESTE VIAJE.

3. La rosa de Hungría

Hotel Marseille.

¿FEDERICO? LEÓN FELIPE NOS ESTÁ ESPERANDO.

PERDONA, MAROTO. NO TENGO SENTIDO DEL TIEMPO.

TODAVÍA NO SÉ MUY BIEN DÓNDE ESTOY. ENTRA, LA PUERTA ESTÁ ABIERTA.

A VER, QUÉ TE PASA, AMIGO.

¡PERO SI YA ESTÁS VESTIDO! ¿QUÉ HACES AHÍ? ¡VAMOS!

ES QUE ESTABA PENSANDO...

¿PUEDES PENSAR MIENTRAS BAJAMOS LAS ESCALERAS?

ESTÁ BIEN, TE LO CONTARÉ POR EL CAMINO.

TENGO EL TEMA PARA MI PRIMER POEMA ESCRITO EN NUEVA YORK. ¿SABES QUE TUVE UN AMIGUITO ENTRAÑABLE EN EL BARCO?

UN NIÑO HÚNGARO DE UNOS 5 AÑITOS. IBA A AMÉRICA A VER A SU PAPÁ POR PRIMERA VEZ. VIAJABA CON SU MADRE, QUE POR LAS NOCHES LO DEJABA SOLO EN EL CAMAROTE Y SE IBA A LOS SALONES DE FIESTA.

LA ACTITUD IRRESPONSABLE DE SU MADRE ME IRRITABA CONSTANTEMENTE, ASÍ QUE NO ME SEPARÉ DE ÉL Y ME TOMÓ MUCHO CARIÑO.

JUGABA CONMIGO TODOS LOS DÍAS EN LA CUBIERTA.

NOS HICIMOS TAN AMIGOS.

CUANDO LLEGÓ LA HORA DE DESPEDIRNOS VINO A MIS BRAZOS Y SE ECHÓ A LLORAR.

LOS DOS LLORAMOS.

¡MENTIROSO FANFARRÓN! PERO SI TÚ NO HABLAS INGLÉS NI NINGÚN IDIOMA URÁLICO.

¿QUÉ PASA, MAROTO? ¿ACASO HACE FALTA SABER IDIOMAS PARA ENTENDER A LOS NIÑOS?

BUENO, TAL VEZ.

QUIERO SER COMO UN NIÑO, MUY SOLO, MUY POBRE.

¡ERES COMO UN NIÑO!

RECEPTION

ME PREGUNTO QUÉ HABRÁ SIDO DE ÉL, DE AQUELLA PEQUEÑA ROSA DE HUNGRÍA.

LA LLEGADA A ESTA CIUDAD ASUSTA. TODOS LOS INMIGRANTES PASANDO POR LA COLA DE LA INSPECCIÓN EN ELLIS ISLAND, LA GRAN PUERTA DE NUEVA YORK.

IMAGINA CÓMO DEBE SENTIRSE UN NIÑO ANTE TAL MAGNITUD BUROCRÁTICA.

CUANDO LO ÚNICO QUE ÉL QUIERE ES JUGAR...

IR EN BUSCA DE TESOROS.
ENTERRAR LOS JUGUETES EN
LA ARENA DE LOS PARQUES.

CURIOSO,
SUBE LA
ESCALERA.

EN LO ALTO DEL TOBOGÁN
LE ESPERA UN MONSTRUO.

DE HORMIGÓN
Y CRISTALES
ROTOS.

ES LA
CIUDAD.

CON SUS MILES DE VENTANAS, BOCAS
ABIERTAS Y OJOS SIN MAÑANAS.

AQUÍ ESTÁ
TU FERIA.

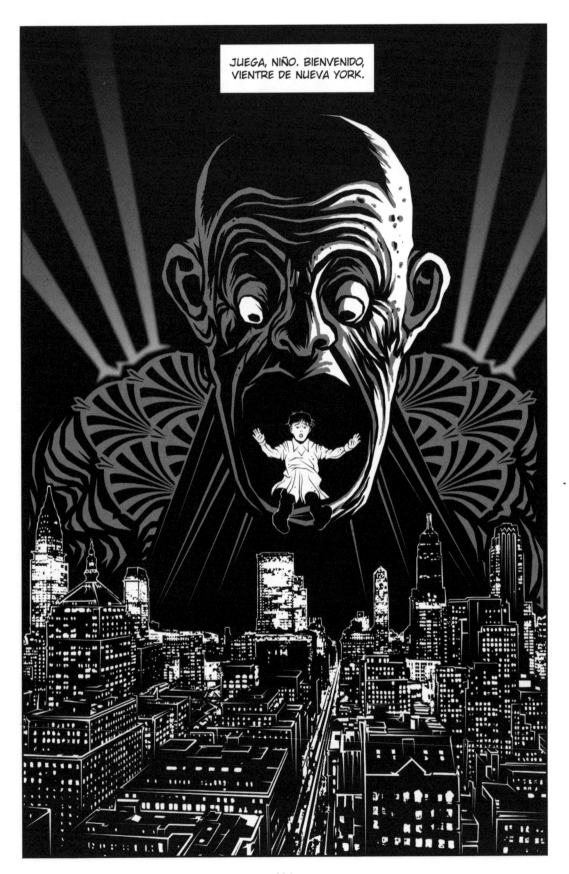

Y UNA VEZ DENTRO DE LA CIUDAD, ¿QUÉ FUTURO LE ESPERA AL JOVEN?

¡ES UNA BUENA PREGUNTA!

PUES UNA VIDA PRÓSPERA O TRISTE, MAROTO. PERO YO NO SERÉ MÁS QUE UN RECUERDO AL SON DEL MAR.

ESTO ES AMÉRICA, FEDERICO. "SÉ LO QUE QUIERAS SER".

ESO DECÍA DON FERNANDO.

SE PUEDE EMPEZAR COMO LIMPIABOTAS O BELLBOY Y ACABAR SIENDO BANQUERO EN WALL STREET.

FÍJATE, AHÍ ESTÁ LEÓN FELIPE, MÁS CIEGO QUE UN TOPO Y LEYENDO UN LIBRO EN MITAD DE LA NOCHE.

ME ALEGRO DE VERTE, POETA.

QUERIDÍSIMO LEÓN FELIPE, DISCULPA EL RETRASO.

QUÉ GANAS TENGO DE SENTARME CONTIGO Y QUE ME TRADUZCAS A NUESTRO AMADO WALT WHITMAN.

HAS VENIDO AQUÍ PARA ESTUDIAR INGLÉS, ¿NO?

CLARO, HA VENIDO A APRENDER EL IDIOMA.

MAROTO SE BURLA DE MI CADA VEZ QUE INTENTO HABLARLO.

ONÍS ME HA MATRICULADO EN UN CURSO DE INGLÉS PARA EXTRANJEROS. EN POCOS DÍAS SERÉ ALUMNO DE LA UNIVERSIDAD DE COLUMBIA Y VIVIRÉ EN LA RESIDENCIA JUNTO CON LOS DEMÁS ESTUDIANTES.

NO ME BURLO, ES QUE CREO QUE TÚ ERES UN SER COMUNICATIVO POR NATURALEZA. NO TE VEO ENCERRADO ESTUDIANDO.

ESTUDIARÉ A LA GENTE. SUS COSTUMBRES, SUS VIDAS. ME LANZARÉ A LA CALLE PARA ENFRENTARME A TODAS LAS EMOCIONES POSIBLES.

PUES EMPIEZA POR CRUZAR LA CALLE.

EN TRES EDIFICIOS DE ESTOS CABE GRANADA ENTERA.

BROADWAY ES INMENSO.

¿HAS VIAJADO MUCHO, FEDERICO?

HE ESTADO EN LONDRES Y EN EL VIEJO Y PODRIDO PARÍS. PERO NADA COMPARADO CON NUEVA YORK.

TE HACÍA FALTA SALIR DE ESPAÑA.

BIEN LEJOS DEL PROVINCIANISMO INTELECTUAL DE GRANADA.

MAROTO TIENE RAZÓN.

¿QUÉ LLEVAS AHÍ?

EL PASAPORTE.

CON UN RETRATO ESPIRITUALÍSIMO.

DEJA QUE TE LO MUESTRE.

DÉJALO, FEDERICO. SOLO ES UNA FOTO.

NO, MAROTO. AQUÍ HAY UNA HISTORIA.

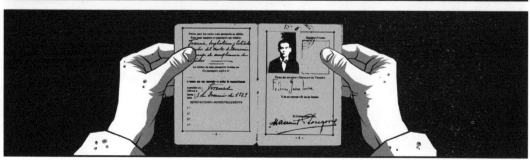

SIEMPRE HAY
UNA HISTORIA
QUE CONTAR.

BIEN, VAMOS A EMPEZAR. SIÉNTATE AHÍ.
MEJOR CON LA CHAQUETA PUESTA, ¿NO?

4. Recuerdos y cenizas

YA CASI TE TENGO.

Y ASÍ FUE COMO EL FOTÓGRAFO DETUVO EL TIEMPO.

AQUEL FEDERICO MELANCÓLICO NO ESTABA SOLO.

MIRA DETRÁS DE MI ESPALDA...

¿CAPRICHO DEL OBJETIVO?

¿HERALDO DE MUERTE?

NO SÉ, FEDERICO, YO LO VEO TODO NORMAL.

EL RECUERDO DE UN LORCA TRISTE, TAL VEZ.

TENÉIS QUE ENTENDERME.

Huerta de San Vicente, primavera de 1929.

DE LA NOCHE A LA MAÑANA ME CONVIERTO EN EL "POETA GITANO". REPRESENTO LO POPULAR, EL PASADO.

DICEN QUE ESTOY ACABADO.

LA GLORIA Y EL FINAL DEL POETA, EL ADIÓS A MI PROLONGADA JUVENTUD.

AUNQUE MIS PADRES SOSPECHAN QUE HAY ALGO MÁS PROFUNDO EN ESTA CRISIS.

MANTENGO UN DUELO A MUERTE CON MI CORAZÓN.

A Rafael. Recuerdo de los POSITOS Federico

TENGO QUE LIBERARLO.

DE LA PASIÓN QUE LO CONSUME LENTAMENTE.

ESPERA, ESPERA UN MOMENTO. HAY ALGO QUE NO HE ENTENDIDO BIEN.

ANTES DE DEJAR ESPAÑA PARA IRME A NUEVA YORK, EN MADRID SE MASCABA UNA PEQUEÑA PSICOSIS DE PREGUERRA EN LOS CÍRCULOS QUE FRECUENTABA.

ALGO QUE PRECISAMENTE NO AYUDÓ A MEJORAR MI ESTADO DE ÁNIMO.

AQUELLO SE AGRAVÓ CON LA LLEGADA DE NUEVOS LIBROS TRADUCIDOS SOBRE LA GRAN GUERRA DEL 14.

COMO PODÉIS IMAGINAR...

ME LOS LLEVÉ A CASA Y LOS LEÍ CON EL ENTUSIASMO Y LA CURIOSIDAD MÓRBIDA DEL NIÑO EN BUSCA DEL OTRO LADO.

QUEDÉ HORRORIZADO.

AHÍ ESTABAN, POR PRIMERA VEZ, LOS ROSTROS DE LOS POBRES CHICOS DESFIGURADOS.

NO QUERÍA MIRAR...

IMAGINABA UNA FUTURA CONFLAGRACIÓN...

INEVITABLE.

LA POBLACIÓN MUNDIAL ANIQUILADA POR EL GAS Y LOS MICROBIOS.

A QUIEN QUIERO ENGAÑAR, NO SÉ PARA QUÉ HE VENIDO A NUEVA YORK.

TRANQUILO, FEDERICO.

ES NORMAL QUE ESTÉS DESUBICADO.

¡YA ERES UN VIAJERO DEL TIEMPO!

CUANDO UNO LLEGA A NUEVA YORK, NO SOLAMENTE TIENE LA SENSACIÓN DE DEJAR ATRÁS SU PAÍS, SINO TAMBIÉN SU ÉPOCA.

AHÍ DELANTE TIENES EL TEATRO ASTOR.

PERDONADME, SIN DUDA DEBO ESTAR EN ALGÚN TIPO DE TRANCE POR CULPA DE TODAS ESTAS LUCES DE NEÓN.

SÉ QUE ESTÁS UN POCO SENSIBLE, Y NO QUISIERA CONTRIBUIR A CAUSARTE NUEVAS OBSESIONES, PERO CREO QUE EL CABALLERO DEL RESTAURANTE DE AHÍ ENFRENTE TE ESTÁ HACIENDO SEÑAS.

¿A MÍ?

ES VERDAD, FÍJATE BIEN.

FEDERRRICOO!

¿COLIN?

¡CAMPBELL HACKFORTH JONES! MI QUERIDO POETA INGLÉS.

HELLO, MY FRIEND!

¿CÓMO ES POSIBLE QUE NOS HAYAMOS ENCONTRADO JUSTAMENTE EN EL LUGAR MÁS CONCURRIDO DEL MUNDO?

EVERYTHING IS POSIBLE CONTIGO!

NADA, TÚ A LO TUYO. ESTAS COSAS SOLO TE PASAN A TI. DONDE QUIERA QUE VAYAS ERES EL NIÑO MIMADO.

¡PERO SI ES CIERTO QUE SE CONOCEN!

LEÓN, MAROTO, OS PRESENTO A MI AMIGO CAMPBELL HACKFORTH JONES.

OH, YOU CAN CALL ME COLIN.

ENCANTADO, COLIN.

SORRY, COLIN, BUT WE'RE LATE.

FEDERICO, MIS AMIGOS Y YO NOS TENEMOS QUE IR. VENID CON NOSOTROS POR FAVOR. I WANNA SHOW YOU THE REAL BROADWAY.

POR SUPUESTO, IREMOS ENCANTADOS.

5. The real Broadway

ABANDONAMOS TIMES SQUARE Y LOS LUMINOSOS CARTELES DE ANUNCIO DE BROADWAY.

COLIN HA CONOCIDO A DOS DE LAS FAMOSAS "BLACKBIRDS" DE 1928.

HABÍA VISTO ALGUNO DE SUS ENSAYOS A TRAVÉS DEL TELÓN.

HASTA QUE UN DÍA DECIDIÓ DAR UN PASO MÁS ALLÁ DE LAS BAMBALINAS.

Y ENTRÓ DIRECTAMENTE A LOS CAMERINOS.

SE PRESENTÓ COMO UN JOVEN MAGNATE Y POETA INGLÉS MUY INTERESADO EN LLEVAR EL ESPECTÁCULO DE LAS BLACKBIRDS A EUROPA.

LAS CHICAS NO LE HICIERON CASO Y LE INVITARON AMABLEMENTE A QUE ABANDONARA EL LOCAL.

Y ENTONCES, COLIN DIJO QUE ERA AMIGO DE LA ESCRITORA NELLA LARSEN.

OH, WAIT.

I KNOW HER!

AQUELLA REVELACIÓN ABRIÓ LAS PUERTAS DEL ENTENDIMIENTO ENTRE ÉL Y LAS BAILARINAS, QUE REPRESENTAN EL RENACIMIENTO DE HARLEM.

COLIN HA LLEGADO HACE POCO A NUEVA YORK PARA UNOS ASUNTOS DE NEGOCIOS FAMILIARES, Y CASUALMENTE ES VECINO DE NELLA LARSEN EN EL BARRIO NEGRO.

MUCHAS NOCHES ACUDEN JUNTOS A LOS CABARETS Y LOS SALONES, DONDE ÉL ES EL ÚNICO BLANCO. ¡AY, HARLEM!

YA ESTAMOS AQUÍ.

NOS HAN INVITADO A UN CLUB DONDE BAILA UNA DE LAS AMIGAS DE COLIN.

STOP!

¿TODO BIEN, COLIN?

WHO ARE YOU?

WE'RE ON THE GUEST LIST.

ESTO EMPIEZA A PARECERME UNA DE ESAS PELÍCULAS QUE TANTO ASUSTAN A MI MADRE.

TODO OK, FEDERICO. ¡HARLEM ES EL AUTÉNTICO BROADWAY!

I'M SORRY. I DIDN'T RECOGNIZE YOU.

¡ENTRAMOS GRACIAS A TUS QUERIDAS BAILARINAS!

NOW YOU'LL SEE THE REAL THING!

NOS RECIBE EL PROPIO ED SMALLS.

HELLO AGAIN MY BEAUTIES!

DENTRO TODO EL MUNDO BAILA A RITMO DE ALGO QUE NUNCA HABÍA ESCUCHADO.

ES EL SONIDO DEL JAZZ.

DE ÁFRICA A NEW YORK.

Y EN NUEVA YORK, LA JUNGLA...

¿QUÉ QUIERES ENSEÑARME?

LA CUADRÍCULA DE LA CIUDAD SE ASEMEJA A LA MATEMÁTICA DE LA NATURALEZA.

¡ES LA MÚSICA!

¡QUÉ RITMO! ¡QUÉ ESTUPENDO!

DURANTE EL BAILE, TODA ESTA SELVA EMERGE DEL AGRIETADO CEMENTO DEL SUELO.

LO LLAMAN A ÉL.

Y APARECE FRENTE A MÍ.

CON SU CUCHARA DE PALO, CUSTODIADO POR ESCARABAJOS EBRIOS, Y CON EL MASCARÓN DE LA MUERTE. HE AQUÍ EL REY DE HARLEM.

INVOCA A SUS CRIATURAS.

¡LOS COCODRILOS SIN OJOS!

MIENTRAS, LOS NEGROS BAILAN Y BAILAN.

ARE YOU FEELING ALRIGHT, AMIGO? ¿NO TE GUSTA EL JAZZ?

TELL ME ONE THING...

¿QUÉ TE PARECEN LAS MUJERES AMERICANAS?

¿LAS MUJERES?

YES, MY FRIEND, TELL ME.

¡TIENEN MUCHO SISHPIL!

SORRY, WHAT?

YA SABES, "SISHPIL".

SISHPIL?

OH, WELL, I THINK YOU QUIERES DECIR...

TÚ SABES LO QUE ES EL SISHPIL, ¿VERDAD, MAROTO?

JA, JA, PUES CLARO, ¡TE REFIERES AL SEX APPEAL!

GENTLEMAN, VOY A ACOMPAÑAR A ESTA BELLA DAMA A SU CASA.

COLIN NOS INVITA A UN TRAGO Y SE DESPIDE. HE QUEDADO CON ÉL LA SEMANA PRÓXIMA PARA QUE ME AYUDE CON EL INGLÉS Y PARA TRADUCIR MIS POEMAS.

TERMINAMOS LA NOCHE SENTADOS EN LA BARRA DEL BAR DEL LOCAL ESCUCHANDO LOCAS HISTORIAS SOBRE LOS GÁNGSTERS Y LA PROHIBICIÓN.

¡QUÉ GANAS TENGO DE PONERME A ESCRIBIR!

6. Sleepy boy

10 de julio.

Universidad de Columbia.

¿QUÉ TAL LAS CLASES DE INGLÉS?

¡GRACIOSÍSIMAS! AUNQUE YA VES QUE VOY TODO EL DÍA CON EL DICCIONARIO A CUESTAS.

¿TE ENCUENTRAS CÓMODO EN LA HABITACIÓN DE LA RESIDENCIA?

ES GENIAL. ADEMÁS TENGO LAS CLASES ALLÍ EN EL MISMO EDIFICIO EN EL QUE VIVO. LAS VISTAS SON INCREÍBLES, ÁNGEL. ESTOY EN EL SEXTO PISO Y EL SILENCIO ES DELICIOSO.

CLARO, ESTÁS EN EL SITIO MÁS ALTO DE LA CIUDAD. APENAS NOTARÁS EL CALOR DEL VERANO, AL ESTAR SITUADO JUNTO AL HUDSON SIEMPRE TENDRÁS BRISA EN LA HABITACIÓN

COMO MI VENTANA DA A LA PISTA DE DEPORTES, ME HE AFICIONADO AL FÚTBOL AMERICANO, ¿SABES?

¿TÚ? ¿AL RUGBY?

SÍ. TIENE UNA EMOCIÓN Y UNA BELLEZA NATURAL. CLARO, QUE YO JAMÁS SERÍA JUGADOR.

¡SE ROMPEN LA CABEZA UNOS CONTRA OTROS!

DEBEN TENER EL CUERPO MÁS DURO QUE UNA DE ESTAS BOLAS.

TE VEO CANSADO. ¿NOS SENTAMOS?

¿DUERMES BIEN? TIENES CARITA DE SUEÑO, FEDERICO.

ES GRACIOSO QUE LO DIGAS. LAS CHICAS DE LA CAFETERÍA ME LLAMAN EL "SLEEPY BOY".

ME GUSTA QUEDARME ESTUDIANDO HASTA TARDE. CREO QUE SOY EL ÚLTIMO EN APAGAR LA LUZ EN TODA LA RESIDENCIA.

UAN.

TU.

ZRI.

ME ESFUERZO CON EL IDIOMA.

¡QUÉ ABURRIMIENTO!

PERO ES DIFÍCIL. ENSEGUIDA ME DESPISTO Y EMPIEZO A ESCRIBIR MIS PRIMERAS IMPRESIONES SOBRE NUEVA YORK.

A VECES SUENA EL BUZZER Y NI SIQUIERA ME MOLESTO EN CONTESTAR. ¿PARA QUÉ? SI NO VOY A ENTENDER NADA.

MUCHAS NOCHES ME QUEDO DORMIDO EN EL ESCRITORIO.

PERO SIEMPRE MADRUGO.

Y LLEGO TARDE A DESAYUNAR.

GUD MORNIN EVRIBODY!

HERE COMES THE SLEEPY BOY.

¡BUENOS DÍAS, LUCY, CARIÑO! TOMARÉ LO MISMO DE SIEMPRE.

EN LA CAFETERÍA, PIDO LO ÚNICO QUE SÉ PRONUNCIAR CORRECTAMENTE.

SORRY! NO HAMBURGER TODA... Tuesday You Kn...

FRANKFURTER 5¢
ALL BEST HAMBURGER 12¢
COFFEE 5¢

APPLE PIE AND COFFEE, PLEASE.

¡ME ENCANTA LA TARTA DE MANZANA!

PUES DEBES EMPEZAR A COMER ALGO MÁS CONSISTENTE SI NO QUIERES SEGUIR CON ESE ASPECTO SOMNOLIENTO.

¿NO TE GUSTAN LOS HUEVOS CON BEICON?

ES MI SEGUNDO DESAYUNO PREFERIDO. LO QUE DE VERDAD ECHO DE MENOS ES EL CAFÉ ILUMINADO.

¿CAFÉ ILUMINADO? ¿ESO QUÉ ES?

PUES ES CAFÉ CON ALGO MÁS QUE UNAS GOTITAS DE AGUARDIENTE. SOLÍAMOS TOMARLO EN LA RESIDENCIA DE MADRID Y EN LAS TERTULIAS DEL RINCONCILLO.

AQUÍ TENEMOS UN SERIO PROBLEMA CON LA BEBIDA. DESDE QUE LLEGÓ LA LEY SECA, NUEVA YORK ES LA CIUDAD QUE MÁS ALCOHOL CONSUME EN EL MUNDO.

TOMARSE UN APERITIVO HA SIDO REDUCIDO A LA CATEGORÍA DE DELITO.

LO SÉ, ÁNGEL. HE PERDIDO LA CUENTA DE LOS BARES CLANDESTINOS A LOS QUE ME HA LLEVADO MI AMIGO COLIN.

Y ENTRAMOS A TRAVÉS DE LAS PUERTAS SECRETAS MÁS EXTRAÑAS E INVEROSÍMILES QUE HAYA VISTO NUNCA.

UNA MAÑANA PENSÉ QUE ÍBAMOS A CORTARNOS EL PELO. PERO COLIN ENTRÓ EN AQUELLA BARBERÍA SIN LA MÁS MÍNIMA INTENCIÓN DE SENTARSE.

POR AQUÍ, FEDERICO.

VAMOS A TOMAR UN VERMUT, MY FRIEND.

¿ACASO CONOCES TODAS LAS PUERTAS FALSAS DE LA CIUDAD?

¿HASTA DÓNDE LLEVA ESTO?

FOLLOW ME, CUIDADO CON ESCALERAS.

¡ES UNA BODEGA!

EL MEJOR SPEAKEASY DE TODO NEW YORK.

NO FUE DIFÍCIL EMULAR LA NOCHE EN LA OSCURIDAD DE AQUEL SÓTANO.

ANTES DE IRNOS VOLVIMOS A LA BODEGA A POR "PROVISIONES".

TIENE QUE ESTAR POR AQUÍ.

¿QUÉ ES LO QUE BUSCAS, COLIN?

OH YES! I FOUND IT.

¡MI BOTELLA DE GINEBRA!

¿DE FABRICACIÓN CASERA?

NO. ESTA GINEBRA ES IMPORTADA DE EUROPA.

SALIMOS DE LA BARBERÍA CON LICORES Y VINOS ESCONDIDOS EN BOLSAS DE PAPEL.

YA PODEMOS AMENIZAR TUS FAMOSAS VELADAS AL PIANO.

COLIN PREFIERE TENER TRATOS CON ALGUNOS GÁNGSTERS ANTES QUE BEBER LOS LICORES CASEROS FABRICADOS EN LABORATORIOS CLANDESTINOS EN MITAD DE LOS BOSQUES.

UTILIZAN MADERAS, DETERGENTES...

EN LAS CABAÑAS SE ABANDONAN AL RECUERDO DEL LETARGO ETÍLICO DE SUS BEBIDAS FALSAS.

Y LOS HOMBRES QUEDAN MEDIO MUERTOS.

CON LOS ÓRGANOS DESTROZADOS Y LOS OJOS CIEGOS.

LA POLICÍA MUESTRA CON ORGULLO LAS FOTOGRAFÍAS DE LAS REDADAS Y DE LA LUCHA CONTRA EL CRIMEN Y EL CONTRABANDO.

EL CONTENIDO DE LOS BARRILES DESAPARECE ENTRE EL GAZNATE DE LA CIUDAD, QUEDANDO EL CONSUMO CONFINADO A LA OSCURIDAD Y AL DELITO.

YO MISMO HE VISTO LAS SEÑALES DE LOS BEBEDEROS EN LAS BALDOSAS, COMO SI SE TRATARA DE UNA INDICACIÓN MÁS PARA ORIENTAR AL CIUDADANO.

THIS WAY TO SPEAKEASY

7. Coney Island

ESTE PARQUE DE ATRACCIONES ES EL SUEÑO DE CUALQUIER NIÑO.

QUEREMOS ENSEÑARTE UNA VIEJA ATRACCIÓN MECÁNICA QUE ESTÁ A PUNTO DE RENDIRSE AL CINEMATÓGRAFO.

ESTUPENDO. ESTO ES UN ESPECTÁCULO. AUNQUE SI OS DIGO LA VERDAD ES EXCESIVO PARA MÍ. NO CREO QUE VUELVA A MEZCLARME ENTRE LA MUCHEDUMBRE DE LA PLAYA.

FEDERICO, TÚ SIEMPRE ESTÁS HABLANDO DE MUERTES VIOLENTAS, SUBNORMALES Y GENTE EXTRAÑA. AQUÍ DENTRO VAS A ENCONTRAR TODA CLASE DE MORFOLOGÍAS.

¿TE REFIERES A ESE CIRCO HUMANO DONDE SE EXHIBEN A ESOS POBRES SERES DESGRACIADOS?

AQUÍ LOS LLAMAN "FREAKS". EL HOMBRE CON CUATRO OJOS, LA MUJER MÁS GRUESA DEL MUNDO...

¿LA MUJER MÁS GRUESA DEL MUNDO? YA LA HE VISTO, ESTA MAÑANA TUMBADA EN LA ARENA.

TE HAS AGOBIADO EN LA PLAYA, ¿EH?

MONSTRUOSO, ÁNGEL. ME HE SENTIDO MUY PERDIDO ENTRE TODA ESA MULTITUD.

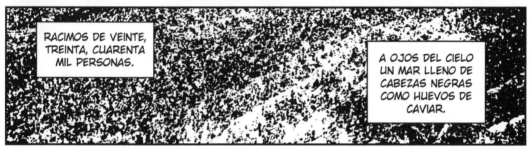

RACIMOS DE VEINTE, TREINTA, CUARENTA MIL PERSONAS.

A OJOS DEL CIELO UN MAR LLENO DE CABEZAS NEGRAS COMO HUEVOS DE CAVIAR.

Y ENTRE TANTA GENTE ME HA PARECIDO VER A DOS DE MIS AMIGOS.

¿SALVADOR?

¿LLUIS?

¿PERO, QUÉ?

SIN DUDA ESTÁIS MUY CERCA. EL PULPO AGONIZANTE Y LA MUJER GORDA ES COSA VUESTRA. ESTOY SEGURO.

OTRA VEZ CON EL SURREALISMO...

VIENE HACIA AQUÍ. ¿NOS HABRÁ VISTO?

¡ESA IMAGEN ES PRODUCTO DE SU MENTE Y ÉL CREE QUE HEMOS SIDO NOSOTROS!

POR FIN, LUIS.

NUESTRO ANTICUADO Y PUTREFACTO AMIGO ESTÁ EMPEZANDO A ENTENDER.

¡LO SABÍA! SABÍA QUE NO ME IBAIS A DEJAR SOLO. ¡CÓMO OS HE ECHADO DE MENOS!

VEN AQUÍ, FEDERICO. SIÉNTATE CON NOSOTROS.

¡SALVADOR, LO ÚNICO QUE QUIERO EN ESTE MOMENTO ES DARTE UN ABRAZO INMENSO!

A MÍ TAMBIÉN ME GUSTARÍA, PERO NO SÉ MUY BIEN CÓMO HACERLO.

NUNCA HE ABRAZADO A UN HOMBRE SIN BRAZOS.

¿SIN BRAZOS?

¿PERO ESTO QUÉ ES?

¿QUÉ ME ESTÁ PASANDO?

TRANQUILO, SEGURO QUE TE DAN TRABAJO EN ALGUNA ATRACCIÓN DE FERIA DE POR AQUÍ.

¿QUÉ TE PARECE ESTA FOTO PARA EL CARTEL?

POR CIERTO...

¡YO MISMO TE PRESENTARÉ!

DAMAS Y CABALLEROS...

¡EL INCREÍBLE POETA SIN BRAZOS!

YA ESTÁ OTRA VEZ CON UNO DE SUS ATAQUES. LLEVA ASÍ DESDE QUE LLEGÓ A NUEVA YORK.

¿TE ENCUENTRAS BIEN, AMIGO?

¿ÁNGEL?

SÍ, FEDERICO. SOY YO. ESTABAS DELIRANDO.

LO SIENTO, HE DEBIDO TENER UNA PESADILLA.

VUELVO A TENER MIS BRAZOS.

NOS ESTABAS CONTANDO LO AGOBIADO QUE TE HAS SENTIDO EN LA PLAYA Y DE PRONTO HAS EMPEZADO A DECIR LOS NOMBRES DE SALVADOR Y LUIS.

ESOS DOS...

¡ESOS DOS SE HAN IDO A PARÍS A GRABAR UNA PELÍCULA!

¿SÍ?

¿QUÉ PELÍCULA?

¡PUES UNA MIERDECILLA ASÍ DE PEQUEÑA!

UN PERRO ANDALUZ. ASÍ SE LLAMA.

¡Y EL PERRO SOY YO!

BUENO, YA ESTÁ BIEN. NO HEMOS VENIDO AQUÍ PARA HABLAR DE CINE. ¿DÓNDE ESTÁ ESA ATRACCIÓN QUE QUERÉIS ENSEÑARME?

¡LA TENEMOS JUSTO DELANTE! PREPÁRATE PARA LA EXPERIENCIA MÁS ALUCINANTE DE CONEY ISLAND. ¡VIAJE A LA LUNA!

¿VIAJE A LA LUNA? ESO ME RECUERDA QUE TENGO QUE HACER UNA VISITA AL TALLER DE UN AMIGO MÍO* MEXICANO QUE ESTÁ AQUÍ EN NUEVA YORK.

*(LORCA SE REFIERE A EMILIO AMERO, PINTOR Y DIRECTOR DE CINE. FEDERICO ESCRIBIRÁ EL GUIÓN DE UNA PELÍCULA SURREALISTA QUE LLEVARÁ POR TÍTULO "VIAJE A LA LUNA")

8. La señora Randolph

38 years

35 years

27 years

18 years

9 years

PLATE IV.—THE LINE OF LIFE.

LISTEN, FEDERICO. NO HAGAS CASO DE LO QUE HA DICHO LA SEÑORA RANDOLPH. HACE MUCHO TIEMPO QUE PERDIÓ LA CABEZA. SHE SAYS HORRIBLE THINGS.

NO IMPORTA, COLIN. HA SIDO INTERESANTE.

ES LA PRIMERA VEZ QUE ALGUIEN ME LEE LA MANO. DE TODAS FORMAS APENAS HE ENTENDIDO NADA DE LO QUE ESTABA BALBUCEANDO.

BIEN, MEJOR ENTONCES. ¡VÁMONOS!

¡ME PREGUNTO QUÉ HABRÁ VISTO PARA PONER ESA CARA DE ESPANTO!

Harlem, finales de julio.

CUIDADO CON LOS GATITOS.

SEGURO QUE AHORA MISMO
LA SEÑORA RANDOLPH ESTÁ
HACIENDO BRILLAR LOS
DIENTES DE LAS CALAVERAS
CON SU CRISTAL MÁGICO.

Y DETRÁS DE ELLA LA SOMBRA DE UNAS MANOS NEGRAS SOBRE EL
ORÁCULO, INVISIBLES A NUESTRA MIRADA, GUIANDO A LA ZÍNGARA
ENTRE LA OPACIDAD DEL TIEMPO BLANQUECINO...

HASTA QUE LA PENUMBRA ILUMINADA MUESTRE EL FUTURO CON CLARIDAD.

¿ALGUNA VEZ HAS VISTO UN FANTASMA?

GHOST? LOOK AROUND...

THIS IS HARLEM!

MIRA TODOS ESTOS ANUNCIOS.

AQUÍ LA HECHICERÍA ES LA INDUSTRIA PRINCIPAL.

SI TIENES MIEDO PODEMOS COMPRAR ALGÚN AMULETO CONTRA EL MAL DE OJO.

NO TENGO MIEDO, PERO SÉ QUE LA SEÑORA RANDOLPH HA VISTO ALGO.

SIN LA AYUDA DE NINGÚN CRISTAL.

HA FIJADO SU ATENCIÓN EN LA PALMA DE MI MANO.

Y SE HA DETENIDO EN UN LUGAR CONCRETO, COMO SI LOS SURCOS HUBIESEN SIDO BORRADOS.

HAY ALGUIEN MÁS AQUÍ, ¿VERDAD?

RECUERDO CUANDO MIS MANOS HABLARON POR PRIMERA VEZ CON LOS MUERTOS.

DESPUÉS DE VER UN ESPECTRO DE PLATA SOBRE LA FOTOGRAFÍA DEL CUERPO DE MI DIFUNTO AMIGO, SUPE QUE LOS MUERTOS NO QUIEREN PAÑUELOS QUE CUBRAN SUS CARAS.

TIENEN QUE ACOSTUMBRARSE A SU NUEVO PAISAJE DE HUESOS.

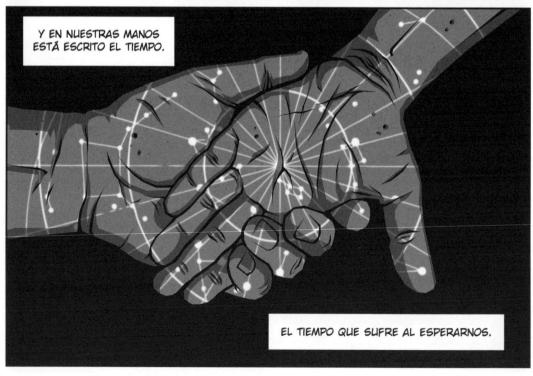

Y EN NUESTRAS MANOS ESTÁ ESCRITO EL TIEMPO.

EL TIEMPO QUE SUFRE AL ESPERARNOS.

LOS FANTASMAS NO EXISTEN, COLIN. SOMOS NOSOTROS. TODO LO QUE ESTÁ ESCRITO YA ESTÁ OCURRIENDO. CUANDO VEMOS UNO DE ESOS ESPECTROS NOS ESTAMOS VIENDO A NOSOTROS MISMOS.

VISTE EL ESPÍRITU DE YOUR FRIEND Y AHORA DICES QUE LOS FANTASMAS NO EXISTEN. I DON'T UNDERSTAND.

A VER, INTENTARÉ EXPLICARLO MEJOR.

TODOS ESTOS QUIROMÁNTICOS.

¿POR QUÉ CREES QUE PUEDEN RECORDAR EL FUTURO?

NO LO SÉ, DÍMELO TÚ.

¿CONOCE LA SEÑORA RANDOLPH EL SECRETO MILENARIO DEL CANTO MÁGICO?

¿LOS SECRETOS DEL CANTE JONDO?

NO, NO ES ESO.

I KNOW, SORRY, I'M JUST KIDDING.

EL TIEMPO ES LA CLAVE.

CUANDO HABLAMOS CON LOS MUERTOS LO QUE EN REALIDAD ESTAMOS HACIENDO ES ESCUCHAR LAS VOCES DE NUESTRO TIEMPO PASADO EN VIDA.

ESO ES EL CANTO MÁGICO.

IGUAL QUE VEMOS LA LUZ DE LAS ESTRELLAS MUERTAS CUANDO MIRAMOS AL CIELO.

HABÍA EN LA SEXTA LUNA UNA FIGURA VESTIDA DE SOMBRA.

LA MISMA PRESENCIA QUE SENTÍ DETRÁS DE LA SEÑORA RANDOLPH.

¿ERA YO DURMIENDO EL SUEÑO DE OTRO?

NO ME PREOCUPÉ
DE NACER.

TAMPOCO ME
PREOCUPO DE MORIR.

Y AL
FINAL...

CUANDO SE AHOGUEN
MIS CUERDAS VOCALES.

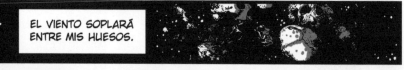

EL VIENTO SOPLARÁ
ENTRE MIS HUESOS.

Y NO ENCONTRARÁN MIS RESTOS.

9. Desayuno en Wall Street

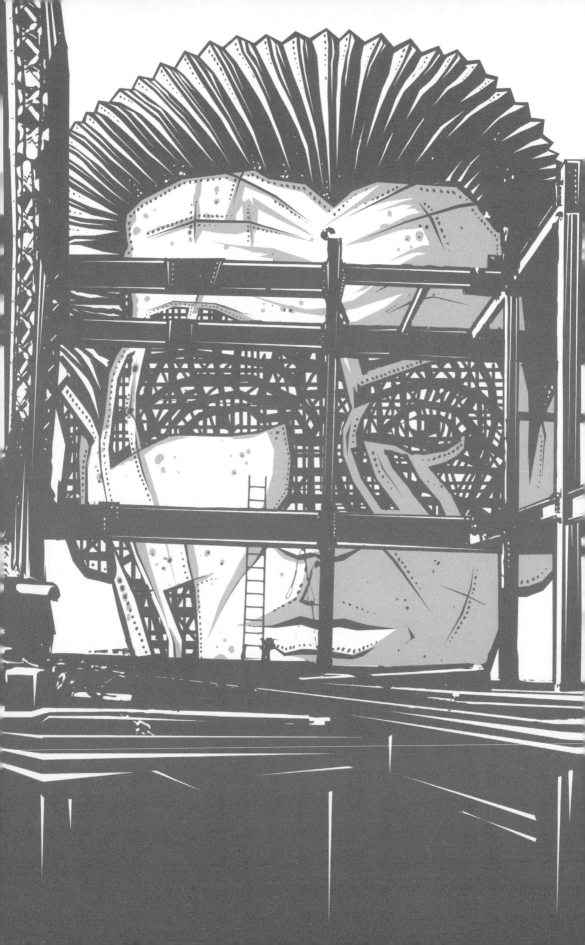

4 de agosto.

WELL, FEDERICO, VAMOS A DESAYUNAR.

¿QUIERES ALGO EN ESPECIAL?

SOLO SÉ PEDIR PASTEL DE MANZANA Y HUEVOS CON BEICON. ME VOY A PONER REDONDITO.

¿HAS OÍDO HABLAR DE LA MODA DEL "SKY-LUNCHING"?

TEMO QUE NO HE AVANZADO MUCHO CON EL IDIOMA.

¡TÚ DIRÁS, COLIN!

MIRA LOS RASCACIELOS DE WALL STREET. ALLÍ ARRIBA ES DONDE VAMOS A COMER.

ESTÁ MUY ALTO.

¿COMPRAMOS UN PAR DE SALCHICHAS AMBULANTES?

¡TÚ Y YO TENEMOS MÁS CATEGORÍA!

NO ME PARECE UNA MALA IDEA.

OLVIDA LOS HOT DOGS. TÚ SÍGUEME, VAMOS A DESAYUNAR EN EL EDIFICIO DONDE VOY A TRABAJAR.

AQUÍ LO TIENES, EL EQUITABLE BUILDING.

PERO COLIN...

ES UNO DE LOS EDIFICIOS MÁS GRANDES DE NUEVA YORK. AQUÍ ESTÁN LAS OFICINAS DE LOS SOCIOS DE MI PADRE, ASÍ QUE A MENUDO TENGO QUE VENIR A FAMILIARIZARME CON TODO LO DEL BUSINESS.

LO TENÍAMOS TODO EL TIEMPO DELANTE.

BUENO, DISCÚLPAME. QUERÍA... ¿CÓMO SE DICE? CHECK IT OUT TU SENTIDO DE LA ORIENTACIÓN.

COLIN, MIENTRAS NO ME DES UN MAPA, MI MEMORIA PLÁSTICA ESTÁ COMO DIOS.

BIEN, YO INVITO.

ME SORPRENDE LO INCREÍBLEMENTE CORDIALES QUE SON LOS AMERICANOS.

HI, CARL.

WELCOME, MR. HACKFORTH

VAMOS A LOS ASCENSORES.

AL RESTAURANTE BANKERS CLUB.

ESTÁ EN EL PISO 38. DESDE ALLÍ ARRIBA EL TRÁFICO PARECE UN CIRCO DE PULGAS. QUIERO ENSEÑARTE LAS VISTAS.

¿TÚ CREES QUE HAY SUFICIENTE OXÍGENO PARA TANTA GENTE DENTRO DE ESTE ASCENSOR, COLIN?

IS EVERYBODY IN?

¡NIÑO, DALE AL BOTÓN!

TODOS ESTOS BANQUEROS SE MUEREN DE GANAS POR LLEGAR AL RESTAURANTE Y GASTAR TODO EL DINERO QUE ACABAN DE GANAR. ASÍ FUNCIONA WALL STREET.

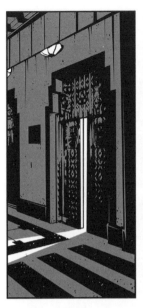

¿QUÉ DECÍAS DE LA CORDIALIDAD DE LOS AMERICANOS?

SUPONGO QUE NO TE REFERÍAS A UN GRUPO DE BANQUEROS EN UN ASCENSOR.

NECESITO RESPIRAR.

PUEDES ASOMARTE POR UNA DE ESTAS VENTANAS, THEN YOU CAN SEE LO QUE TE COMENTABA ANTES.

SÍ, YA ESTOY VIENDO LOS EDIFICIOS ENTRE LAS NUBES.

Y ESPERA A VER EL SALÓN COMEDOR. LA LUZ ENTRA POR TODAS PARTES.

GEOMETRÍA Y ANGUSTIA ES LO QUE SE VE DESDE AQUÍ.

QUÉ TRÁGICO, FEDERICO.

BIEN, ¿QUÉ OPINAS DEL RESTAURANTE?

PUES MUY BONITO, COLIN, PERO NO CREO QUE PUEDA PERMITIRME ESTO.

YOU KNOW? ESTAMOS RODEADOS DE MILLONES Y SIN EMBARGO TÚ Y YO SOMOS LOS ÚNICOS CABALLEROS DE AQUÍ.

DIME, ¿CUÁNTO DINERO TIENES?

TENGO TRES DÓLARES EN EL BOLSILLO.

BAH, DON'T WORRY. YO TENGO CINCO. PIDE LO QUE QUIERAS, TODO ESTO LO VA A PAGAR MI PADRE.

CUÉNTAME, FEDERICO. ¿HAS PODIDO ESCRIBIR?

CREO QUE POR FIN TENGO MATERIAL DECENTE, COLIN.

¡ME ALEGRO! ¿SOBRE QUÉ ESCRIBES?

ESCRIBO POEMAS. POEMAS SOBRE NUEVA YORK.

ESTA CIUDAD, TAN MECÁNICA, DESHUMANIZADA Y CRUEL, ME ESTÁ INSPIRANDO MUCHO.

¿TE HE CONTADO QUE VI AL ZEPELÍN EL OTRO DÍA SOBREVOLANDO WALL STREET? ERA COMO ESTAR EN UN SUEÑO.

EL HOMBRE Y LA MÁQUINA.

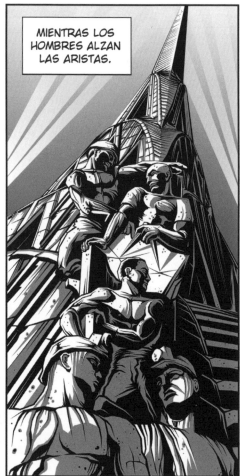

MIENTRAS LOS HOMBRES ALZAN LAS ARISTAS.

EL ZEPELÍN ESTÁ AHÍ, ANCLADO COMO UN PEZ.

EL HIERRO SE FORJA DESDE UNA TIERRA QUE PARECE NO TENER RAÍZ.

¿HAS VISTO ALGUNA VEZ UN CADAVER DESENTERRADO, COLIN?

LAS PLANTAS BROTAN DEL CUERPO DE LOS MUERTOS. LO EDIFICIOS DE ESTA CIUDAD NACEN DESDE EL CORAZÓN DE SUS VIEJOS DIFUNTOS YA ENTERRADOS.

Y ASCIENDEN Y CRECEN...

AL IGUAL QUE LA TAPENERA CRECE DESDE LOS PIES DE NUESTROS MUERTOS.

SO DARK, MY FRIEND. ¿ESA VISIÓN TAN OSCURA NO TENDRÁ QUE VER CON QUE ESTÉS LEYENDO A POE?

EDGAR POE LO ENTENDÍA. POR ESO NO TUVO MÁS REMEDIO.

¿QUÉ QUIERES DECIR?

PUES DIGO QUE NO TUVO MÁS REMEDIO QUE ABRAZAR EL MISTERIO Y EL ARDOR AFECTUOSO DE LA EMBRIAGUEZ.

MUCHO ANTES DE AQUELLA FATÍDICA TARDE EN LA QUE SU MUJER TOCABA EL ARPA...

ANTES DE QUE LA SANGRE DE AQUELLA TOS SILENCIARA PARA SIEMPRE LA MÚSICA Y SUS VIDAS.

POE LA TRAJO AQUÍ, A NUEVA YORK, DONDE VIRGINIA FINALMENTE SUCUMBIÓ A LA TUBERCULOSIS.

GRACIAS POR EL DESAYUNO, COLIN.

NOS VEMOS A LA VUELTA DE MI VIAJE A VERMONT.

10. Viaje a Eden Mills

23 de agosto,
de camino a
Grand Central
Terminal.

MAROTO ME ACOMPAÑA A LA ESTACIÓN, EN LO QUE SERÁ MI PRIMER VIAJE EN SOLITARIO POR LOS ESTADOS UNIDOS.

EL EDIFICIO CHRYSLER SE ERIGE JUSTO AL LADO DE LA ESTACIÓN.

SE ENCUENTRA EN LA ÚLTIMA FASE DE SU CONSTRUCCIÓN.

FALTA LA ÚLTIMA ARISTA. LA AGUJA PLATEADA.

¿ARRIBA?

¿ABAJO?

SON CONCEPTOS INTERCAMBIABLES CUANDO UNO SE ENCUENTRA EN MITAD DE LA INMENSA ESTRUCTURA.

EQUILIBRIOS CONTRARIOS QUE PARECEN DESAFIAR LAS LEYES FÍSICAS.

TENGO QUE ASCENDER UN POCO MÁS. MI AMIGO ME ESPERA.

YA CASI HAS LLEGADO. ¡ÁNIMO!

ESTOY AQUÍ. ¡LO ESTÁS HACIENDO MUY BIEN!

DAME LA MANO. EL BOSQUE Y EL LAGO NOS ESTÁN ESPERANDO.

¡ESO ES!

AHORA SIÉNTATE Y RELÁJATE UN POCO. DISFRUTA DE LAS VISTAS.

CREÍ QUE NO LO IBA A LOGRAR.

GRACIAS, PHILIP.

TENGO QUE QUITARME ESTE SABOR A HIERRO.

¿CUÁNTO TIEMPO VAS A PASAR EN VERMONT?

UNOS 15 O 20 DÍAS.

MI AMIGO FELIPE CUMMINGS ME HA INVITADO A SU FINCA AL LADO DEL LAGO EDEN.

¡INCLUSO ME HA PAGADO LOS VEINTE DÓLARES QUE CUESTA EL VIAJE!

ESO ES NORMAL.

LOS NORTEAMERICANOS NO INVITAN SINO DEL TODO.

VAMOS, ES EL ÚLTIMO AVISO.

TOMARÉ EL TREN HASTA BURLINGTON Y ALLÍ ME RECIBIRÁN. ES COMO IR A LOJA EN GRANADA Y SIN EMBARGO EL VIAJE ES LARGUÍSIMO.

NO SEAS EXAGERADO. NO CREO QUE TARDES MÁS DE SIETE HORAS.

BUEN VIAJE, FEDERICO. DISFRUTA DEL PAISAJE.

GRACIAS, MAROTO. LO HARÉ. HASTA PRONTO, AMIGO.

MI BAUTISMO DE FUEGO.

A PARTIR DE AHORA VIAJO SOLO POR LA SALVAJE NORTEAMÉRICA.

Y DISFRUTO DE LAS COMODIDADES DEL TREN PULLMAN QUE TANTAS VECES HEMOS VISTO EN EL CINE.

APAGARÉ LA LUZ Y ABRIRÉ LAS VENTANAS.

PERO NO VOY A DORMIR.

EXISTEN LAS MONTAÑAS.

Últimos días de agosto.

WELCOME TO EDEN LAKE

ESTE LUGAR ME RECUERDA A MI INFANCIA EN LA VEGA.

PHILIP Y SU FAMILIA ME ESTÁN MOSTRANDO LA AUTÉNTICA VIDA RURAL AMERICANA. MIS POEMAS SE TIÑEN DE NOSTALGIA.

PODRÍA QUEDARME AQUÍ MUCHO TIEMPO. EN ESTE PUNZANTE AMBIENTE ROMÁNTICO.

FEDERICO, ESTOS DÍAS CONTIGO HAN SIDO INOLVIDABLES. ME HAS DADO UNA VISIÓN NUEVA DE CADA RINCÓN DEL BOSQUE QUE HEMOS VISITADO.

GRACIAS A TI, PHILIP. ESTOY LISTO PARA VOLVER A LA CIUDAD Y ENFRENTARME AL CAOS TREPIDANTE QUE DA LA ESPALDA A LA NATURALEZA.

¡Y A LAS COSAS VIVAS MÁS INSIGNIFICANTES!

ES CIERTO. TENGO QUE TERMINAR MI INSECTARIO.

CRITURAS QUE VIVEN SU VIDA ALETEANDO. LIBRES DE LA MODERNA URBE, NUEVA YORK.

NUEVA YORK... BESTIARIO HUMANO.

ESO ESTOY ESCRIBIENDO.

VOLVAMOS AL BOSQUE, PHILIP.

¿VES LOS RESTOS DEL CASTILLO ENTRE LOS ÁRBOLES?

PARA TI CUALQUIER ARBUSTO O TRONCO PODRIDO ES UNA FORTALEZA.

AQUÍ ESTÁN LAS RUINAS DE UNA ANTIGUA CIUDAD BABILÓNICA.

SOLO HAY QUE MOLDEAR UN POCO Y DESCUBRIRLA.

¡YA ESTÁ!

¡ME HA QUEDADO COMO DIOS!

YO PROTEGERÉ A LOS DÉBILES.

¡DEL ATAQUE DEL CÍCLOPE BANQUERO!

TENGO UNA IDEA, PHILIP.

ANTES DE MI VUELTA A LA CIUDAD QUISE HACER UNA RECOLECTA DE FRUTOS Y FLORES A MODO DE OFRENDA.

HAREMOS UNA BUENA TARTA CON ESTO.

FALTAN MORAS Y ARÁNDANOS.

PERO TRANQUILO, SÉ DÓNDE HAY. DETRÁS DE LA CASA ABANDONADA.

¡ESTUPENDO! VAMOS, PHILIP.

AHÍ ESTÁ LA CASA. EL ÚLTIMO SUEÑO DEL VERANO.

DENTRO DE MUY POCO, ESTE LUGAR SOLITARIO DE PUERTAS ABIERTAS, DONDE LOS PÁJAROS HACEN SUS NIDOS EN EL SUELO, SE LLENARÁ DE NIEVE.

EL GRIS DE LAS COLINAS SE VOLVERÁ BLANCO.

Y ESTARÉ MUY LEJOS, RECORDANDO ESTA MELANCOLÍA INFINITA.

PERO SÉ QUE EXISTEN LAS MONTAÑAS...

LO SÉ...

11. Fin de fiesta

noviembre de 1929

OTRA NOCHE MÁS EN CASA DE LOS BRICKELL.

BOTELLAS DE JEREZ Y BRANDY FUNDADOR.

FEDERICO, UNA MÁS, POR FAVOR.

¡"EL BURRO"!

¡"LAS MORICAS DE JAÉN"!

ÁNGEL Y MAROTO SABEN QUE SOY UN LOQUITO DEL CANCIONERO TRADICIONAL ESPAÑOL, Y A LOS AMERICANOS LES ENCANTA.

SIEMPRE MONTAMOS EL "FIN DE FIESTA" CONMIGO SENTADO AL PIANO.

PERO HOY BRINDAMOS POR EL FIN.

¿UNAS PALABRAS?

HE TENIDO LA SUERTE O LA DESGRACIA DE PRESENCIAR ALGO TERRIBLE.

¡HAS CORTADO EL RITMO DE MIS DELICADAS CRIATURAS, MAROTO!

PERO ACEPTO EL HONOR DE DESPEDIR ESTA VELADA.

PRONTO MARCHARÉ A SANTIAGO DE CUBA.

ESTO ES EL FINAL.

¡SALUD, AMIGO!

¡POR LOS ÚLTIMOS MESES DEL POETA EN NUEVA YORK!

¡GRACIAS, AMIGOS MÍOS! QUISIERA DECIR ALGO...

...MUCHOS NO CONOCÉIS MI IDIOMA. SIN EMBARGO, ENTENDÉIS TODAS ESTAS VIEJAS CANCIONES QUE ME HE DEDICADO A ESTUDIAR CON SENTIDO DE POETA.

CON LAS PALABRAS NOS DECIMOS COSAS, PERO CON LA MÚSICA EXPRESAMOS TODAS ESAS IDEAS QUE NO PODEMOS DEFINIR, Y QUE NO CONOCEN OTRO LENGUAJE.

EN VUESTRA CIUDAD HE SIDO TESTIGO DE RADIANTES POLIFONÍAS, DE CUENTOS Y NUEVOS ROMANCES DE CRÍMENES. Y ME SIENTO OBLIGADO A POSICIONARME.

MI AMIGO ÁNGEL DICE QUE LOS ESPAÑOLES Y LOS ESLAVOS SOMOS LOS ÚNICOS QUE PODEMOS TRADUCIR LA EMOCIÓN PATRIÓTICA EN CANTOS POPULARES.

HE VISTO LA MUERTE SIN ESPERANZA.

LA AUSENCIA TOTAL DE ESPÍRITU. LA GRAN MÁQUINA SE HA DETENIDO Y EL MUNDO JAMÁS VOLVERÁ A SER IGUAL.

YO LO VI...

ESTABA ALLÍ CUANDO TODO CAMBIÓ...

SE HAN PERDIDO BILLONES...

UN TUMULTO DE GENTE HISTÉRICA SE REÚNE EN WALL STREET.

ESTÁ OCURRIENDO JUSTO DELANTE DE MÍ. ES EL ESPECTÁCULO URBANO MÁS EXTRAÑO QUE HE VIVIDO DESDE QUE ESTOY EN NUEVA YORK. ES UNA CATÁSTROFE DE CARÁCTER MUNDIAL, PUES LA BOLSA DE NUEVA YORK NO ES SINO YA LA BOLSA DEL MUNDO.

DE LA NOCHE A LA MAÑANA, TODAS ESTAS PERSONAS SE HAN QUEDADO EN LA MÁS ABSOLUTA MISERIA.

DENTRO, TODOS CREÍAN ESTAR PERFECTAMENTE INTEGRADOS EN EL ENGRANAJE FINANCIERO.

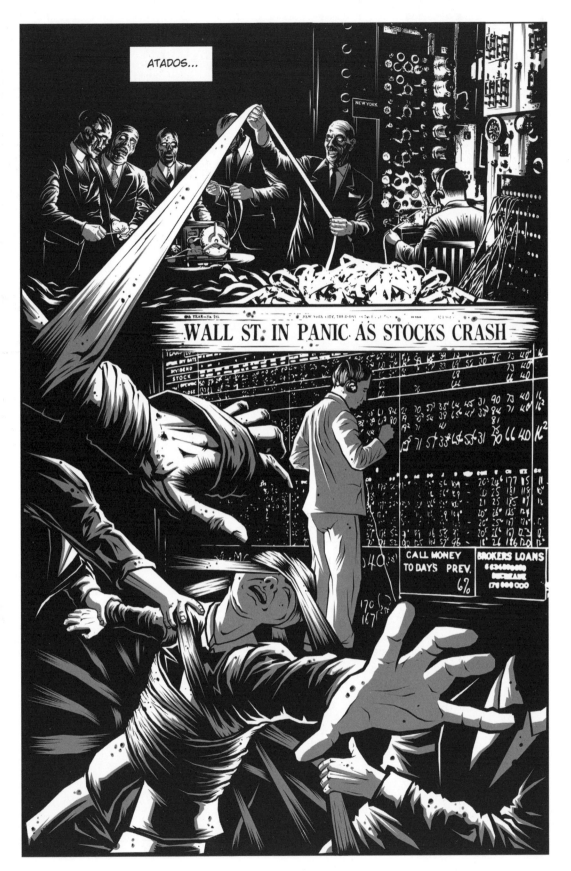

ENTONCES LLEGO A CASA Y DIBUJO A LAS BESTIAS.

ALREDEDOR DE LA MÁSCARA EN LA QUE SE HA CONVERTIDO MI ROSTRO. ES MI RETRATO FINAL.

ALGUNOS HOMBRES SE DESMAYAN.

OTROS CAEN DEL CIELO, ENTRE LAS COLUMNAS DE LETRAS Y NÚMEROS.

CONTEMPLO LOS RÍOS DE SANGRE Y ORO.

EL ORO DE LOS ANILLOS EN LOS DEDOS DE LOS MUERTOS.

LAS AMBULANCIAS SE LLEVAN LOS CUERPOS, DEJANDO UN RASTRO DE TINTA HÚMEDA EN EL SUELO APLASTADO.

TODO HA QUEDADO DESTROZADO...

ENSUCIO MIS MANOS.

DIBUJO...

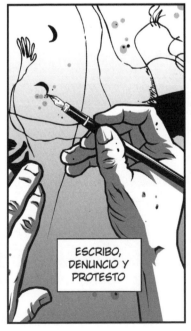

ESCRIBO, DENUNCIO Y PROTESTO

PROTESTO POR LO MÁS TRISTE... QUE LOS NEGROS NO QUIERAN SER NEGROS.

HAY POLVOS QUE VUELVEN LA CARA GRIS, Y POMADAS QUE ALISAN EL PELO.

AHORA SÉ QUE NO ES UN LIBRO DE POEMAS LO QUE ESCRIBO,
SINO UN GRITO PARA LOS QUE SE HAN QUEDADO SIN ALIENTO.

BRINDO POR TODOS VOSOTROS, AMIGOS. SIN VUESTRA AYUDA NO HABRÍA LOGRADO LO MÁS DIFÍCIL, SER UN POETA EN NUEVA YORK.

UN GRAN DISCURSO DE DESPEDIDA, FEDERICO. TODOS SE HAN QUEDADO ENCANTADOS. HÁBLAME DE ESE POEMARIO TAN INSPIRADO. ¿YA TIENES TÍTULO?

"NUEVA YORK".

NO HAY MEJOR TÍTULO.

¿"NUEVA YORK"? LA CIUDAD. ¡ME GUSTA!

Y AHORA DIME, ¿POR QUÉ ESTÁS TAN ABATIDO?

TODO ESTO SOLO ES EL PRINCIPIO. HE PROFETIZADO LA DESTRUCCIÓN.

¿QUÉ HACÉIS AHÍ TAN CALLADITOS?

¡BRINDEMOS POR LA DENUNCIA SOCIAL Y POR LA VIDA DE LOS MUERTOS!

ESTA CRISIS FINANCIERA SERÁ EL CALDO DE CULTIVO PERFECTO PARA EL AUGE DE LOS FASCISMOS...

...

LORCA CREE QUE PUEDE HABER OTRA GUERRA.

...

ÁNGEL, MAROTO...

HAY ALGO QUE PODEMOS HACER. QUE ESTAMOS OBLIGADOS A HACER.

FEDERICO, ESPERO QUE ESTA VEZ ESE PULSO TUYO ESTÉ EQUIVOCADO.

¡TENEMOS QUE SEGUIR ESCRIBIENDO, DIBUJANDO. PUES PODEMOS HACER MÁS DAÑO CON NUESTRAS PLUMAS QUE ELLOS CON SUS PISTOLAS!

12. Epílogo

Madrid,
julio de 1936.

Oficinas
de la
editorial
Cruz y
Raya.

LAMENTO EL DESORDEN, FEDERICO. LAS COSAS SE HAN PUESTO FEAS Y TENEMOS TODA LA SEDE PATAS ARRIBA. ¿TRAES ALGO NUEVO?

TRANQUILO, PEPE. YO TAMBIÉN ESTOY PENSANDO EN DEJAR MADRID PRONTO.

CREO QUE EN GRANADA ESTARÉ MÁS SEGURO.

AQUÍ ESTÁN LOS DIBUJOS Y LAS FOTOGRAFÍAS QUE TE DIJE QUE ME GUSTARÍA INCLUIR EN MI NUEVO LIBRO.

¡BIEN! VAMOS A VER.

¿QUÉ TAL VAN LOS MANUSCRITOS?

YA CASI LO TENGO, PEPE. ¡SERÁ UN LIBRO TAN GRUESO COMO UN PUÑO!

FEDERICO, YO CREO QUE...

HE PENSADO QUE PODEMOS USAR ESTE AUTORRETRATO MÍO EN NUEVA YORK COMO PORTADA DEL LIBRO.

¡ESTOY TOTALMENTE RECONOCIBLE!

SÍ, SÍ. ERES TÚ, SIN DUDA.

¿PERO NO CREES QUE DEBERÍAMOS DISCUTIR UN POCO EL ASUNTO DE LOS DIBUJOS?

"BUSTO DE HOMBRE MUERTO", "BOSQUE SEXUAL".

NO SÉ SI ES UN CONTENIDO MUY APROPIADO PARA MEZCLARLO CON POSTALES TURÍSTICAS DE NUEVA YORK.

ADEMÁS, FRANCAMENTE, FEDERICO, ALGUNAS FOTOS SON ESPANTOSAS.

¿UN HOMBRE QUEMADO VIVO?

¿UNA FOTO DE UNA VACA MUERTA?

¿MÁSCARAS AFRICANAS?

¿NO VES QUE SI MEZCLAMOS ESTAS FOTOGRAFÍAS CON TUS DIBUJOS VA A QUEDAR ALGO HORRIBLE?

TE PIDO QUE LO RECONSIDERES.

¿TÚ CREES?

ESTÁ BIEN. LO PENSARÉ.

ES VERDAD, MIS DIBUJOS NO TIENEN MUCHA TÉCNICA.

MIRA, PEPE, YA SÉ LO QUE VAMOS A HACER.

¡VUELVO EN UNOS DÍAS Y TE TRAIGO EL MANUSCRITO ACABADO POR FIN!

NO TARDES DEMASIADO.

SI NO ESTOY EN LA OFICINA CUANDO VUELVAS, ENTREGA LOS ORIGINALES A PILARÍN.

TEN MUCHO CUIDADO, AMIGO MÍO.

DIRECTOR
JOSE BERGAMÍN

DESCUIDA, PEPE. PROCURARÉ VENIR ANTES DE TU VIAJE A LONDRES.

LORCA JAMÁS VOLVIÓ. MURIÓ ASESINADO EN GRANADA UN MES MÁS TARDE.